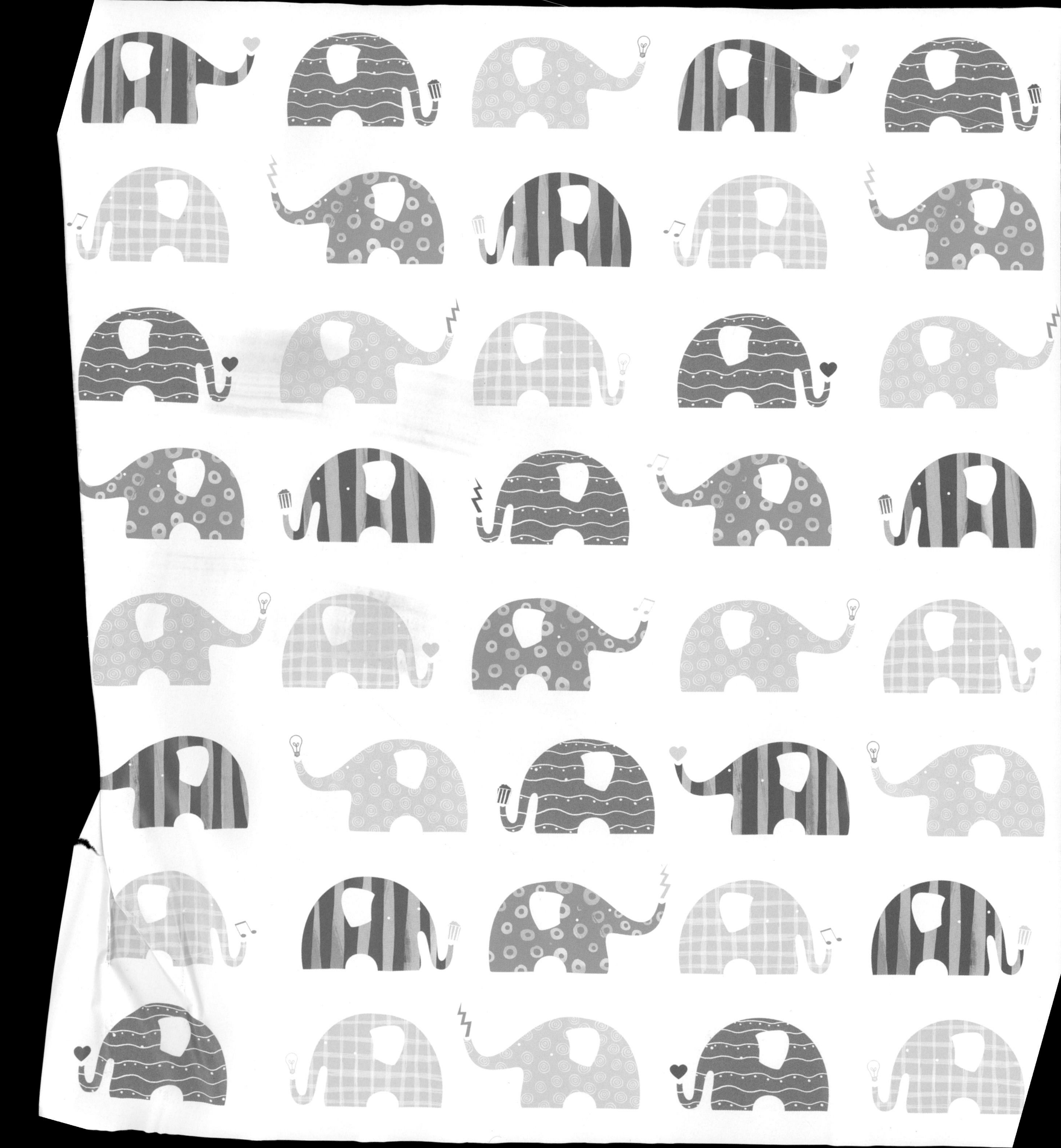

A' chiad fhoillseachadh ann an 2016 le Leabhraichean Chloinne Scholastic
Euston House, 24 Sràid Eversholt, Lunnainn, NW1 1DB Roinn de Scholastic Earr. www.scholastic.co.uk
Lunnainn - New Iorc - Toronto - Sydney - Auckland - Cathair Mheagsago - New Delhi - Hong Kong

1 3 5 7 9 10 8 6 4 2

A' chiad fhoillseachadh sa Ghàidhlig an 2017 le Acair Earranta
An Tosgan, Rathad Shìophoirt, Steòrnabhagh, Eilean Leòdhais HS1 2SD

info@acairbooks.com www.acairbooks.com

An tionndadh Gàidhlig le Mòrag Anna NicNèill. An dealbhachadh sa Ghàidhlig le Mairead Anna NicLeòid.

Tha Acair a' faighinn taic bho Bhòrd na Gàidhlig.

Gheibhear clàr catalog CIP airson an leabhair seo ann an Leabharlann Bhreatainn.

LAGE/ISBN 978-0-86152-492-1 Clò-bhuailte ann an Malèisia

An e Ailbhean tha Siud na Mo Frids?

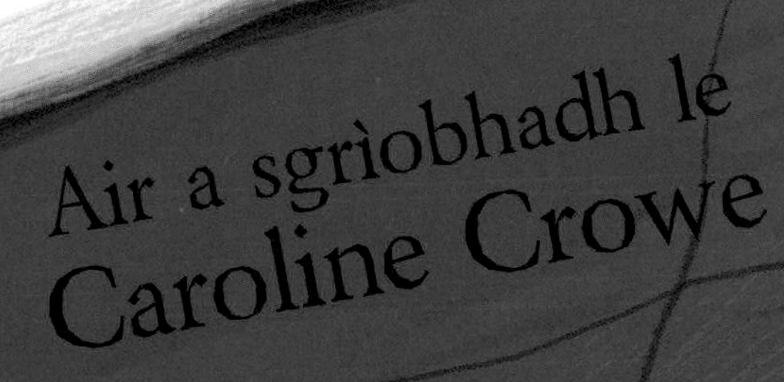

Air a sgrìobhadh le
Caroline Crowe

Na dealbhan le
Claudia Ranucci

"Chan eil mi idir sgìth!"
thuirt Fred,
Nuair chaidh e dhan an leabaidh.

"Bi cunntais chaorach,"
thuirt Mam ris,
"Is tuitidh tu nad chadal."

Ach fois chan fhaigheadh
Fred a-nochd,
'S **cha robh càil aige**
mu chaoraich.
Dhùin e shùilean
's thòisich e...

...Air ailbheanan a chunntais.

Bha a' chiad fhear air a sgeadachadh,
Le claidheamh 's paidse-sùla.
Am measg nan dèideagan 'son òr

Bha 'n spùinneadair a' rùileach.

Le stocainnean is cleòca seòid
Bha 'n dàrna fear gu frogail,
A' sgiathalaich 's e dòchasach,

Gun seachnadh

e na solais.

Gun cuala Fred mòr-phlubadaich

Bhon rùm a bha gu shìos dheth.

An siud bha **tuilleadh** ailbheanan
San tuba a' **cluich le siabann.**

Bha **trì** eile...

...aig **bàrr** na staidhre,

Is iad le blocaichean a' cleasachd,

Mar sheòid a bhiodh aig siorcas,
'S iad air an corra-biod nan seasamh.

Bha tè is dreasa phinc tutu...
Ag eacarsaich gu sona,

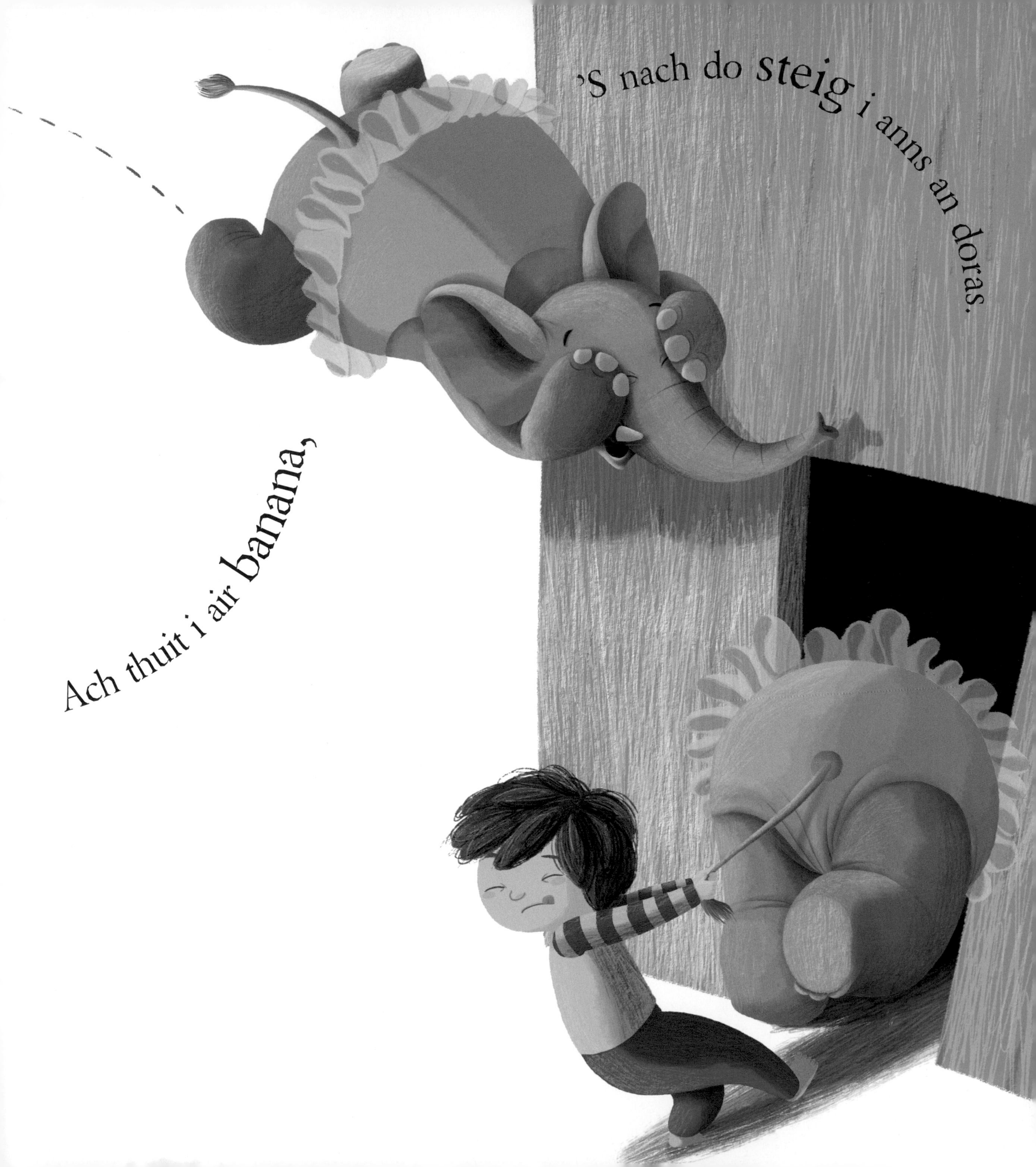
Ach thuit i air banana,
’S nach do steig i anns an doras.

Rin cunntais gun do dh'fheuch Fred còir,

Ach cus dhiubh gun robh ann.

Gum faca e tè, no 's dòcha dhà?

Air sgutair 's i na deann.

Cha robh oisean
ann gun ailbhean,

Bha iad aig an teilidh
's anns gach àite,

Bha reòiteag mhòr
aig tè dhiubh,

’S cha robh
briosgaidean
air fhàgail!

Bha iad a' caismeachd
air an staidhre,
Le ceannard os an cionn
Ach chaidh a chasan
triullainn air,

Nuair rinn e sreothart mòr –
AITSIÙ!

Gun deach
an taigh
gu lèir
air chrith,

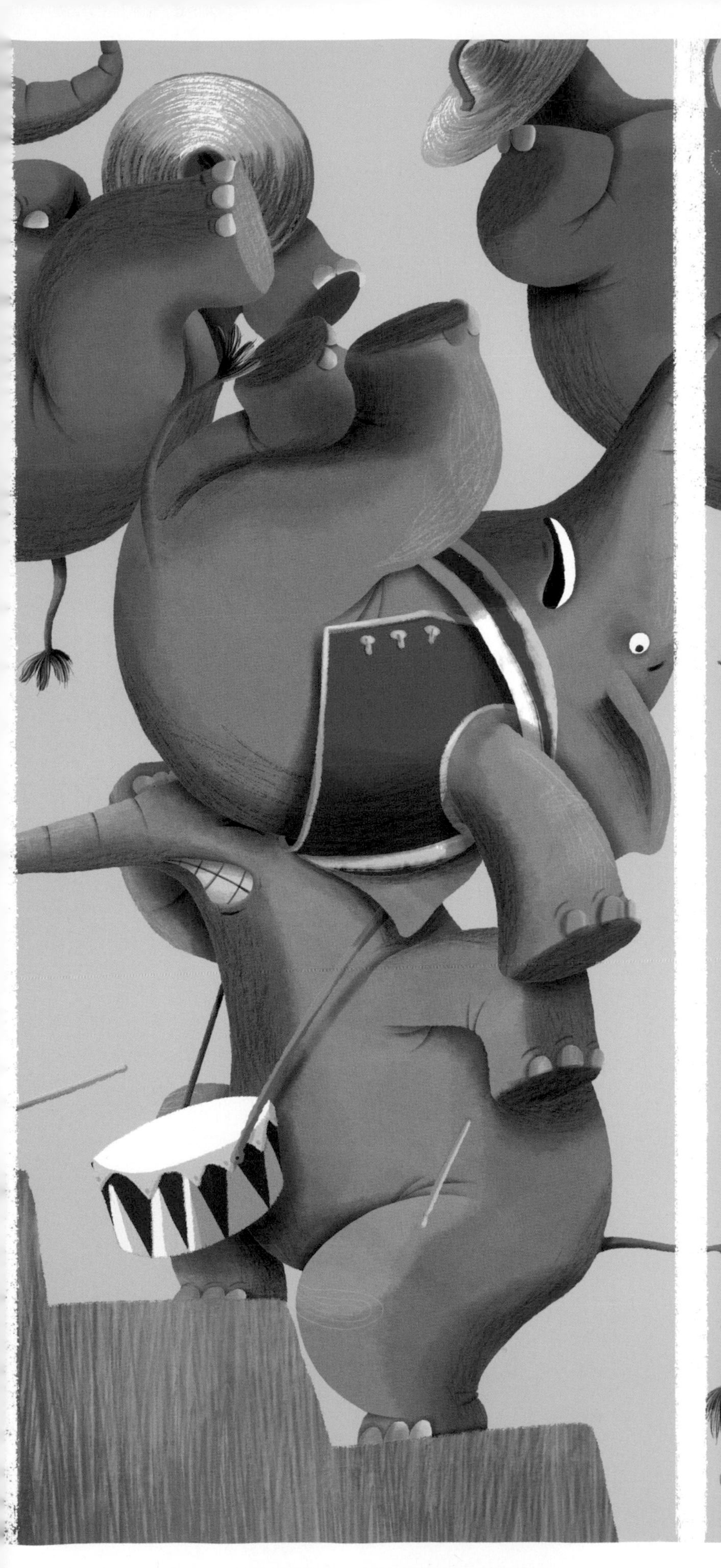

Nuair bhuail e cruaidh na nàbaidh.

'S tha car a' mhuiltein ailbhein,

Mar chrith-thalmhainn san fhàrdaich.

Bha gach sròn an lùib a chèile,
Is bha an casan bun-os-cionn.

Air tomhais na bha ann air fad
Cha dèanadh e a' chùis.

"Gu Leòr!" dh'èigh Fred.
"A-mach à seo!"

Gan cartadh às gu sunndach,
Is thug e **brag** air **gliongain**
Bha nan laighe air an ùrlar.

Cha tug a h-aon dhiubh feairt air,
Is iad ro thrang a' spòrs ri chèile.
Ach smaoinich Fred air rudeigin...

...A shaoil leis a bhiodh gleusta.

"Seallaibh! Thall an siud – tha luch..."
"Gun d' dh'èigh e riutha gu cas.

Nan ruith 's nan leum
gu sgiobalta,
Le cabhaig rinn iad às.

"Nach math sin!"
arsa Fred ris fhèin,
"'S nach croiseil fhèin a bha iad –

An-ath-oidhch'
anns an leabaidh

Gur e caoraich bhios mi 'g àireamh."